MINI KEYBOARD CHORD

JN097069

中央アート出版社

手型入 ミニキーボードコード

もくじ

手型入キーボード・コードダイヤグラム一覧表

●写真機種Techics SX-K200

キー(調子)別使用コード表

●コードを連結するとき次のコードを転回させ共通音
そのままの位置で使い他の音は次のコードの近い音へ進行き
る事が原則です。この原則をもとに調号が4つまでのメジャ
マイナーのキー(調子)ごとに3つのパターンを作りました

調号(♯・♭)のつかない長調
ハ長調(Key of C)

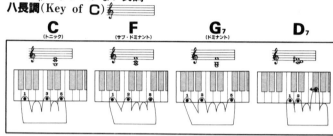

調号(♯・♭)のつかない短調
イ短調(Key of Am)

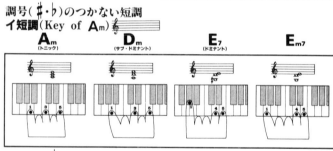

フラット(♭)が1個の長調
ヘ長調(Key of F)

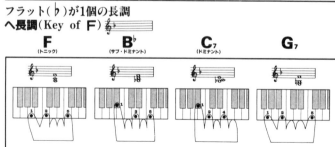

4

使い方

● まず弾きたい曲のキーのページを開き1、2、3のパターンからその曲に合った音域のパターンを選び弾きたい曲のリズムで弾いて下さい。同じ数の♯や♭を持つ関係調（C−Am、G−Em、B♭−Gm……）の同じパターンへもスムーズに進行できます。またこれらのパターンをオクターブ上下させて弾くのもよいでしょう。

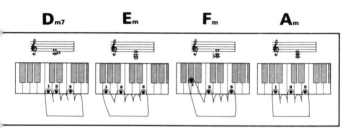

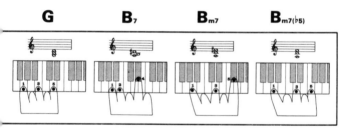

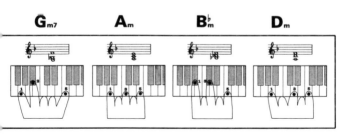

5

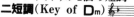

フラット(♭)が1個の短調
二短調(Key of Dm)

Dm (トニック)　**G**m (サブ・ドミナント)　**A**7 (ドミナント)　**A**m7

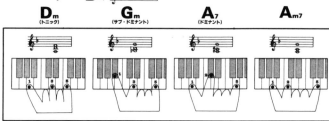

フラット(♭)が2個の長調
変ロ長調(Key of B♭)

B♭ (トニック)　**E**♭ (サブ・ドミナント)　**F**7 (ドミナント)　**C**7

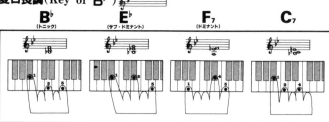

フラット(♭)が2個の短調
ト短調(Key of Gm)

Gm (トニック)　**C**m (サブ・ドミナント)　**D**7 (ドミナント)　**D**m7

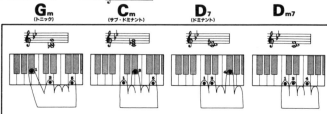

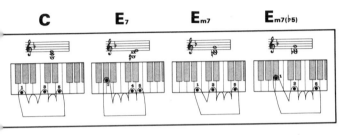

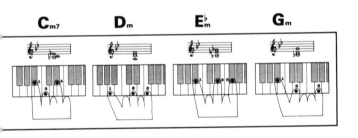

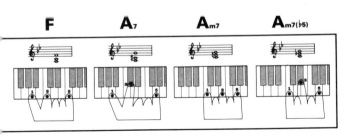

フラット(♭)が3個の長調
変ホ長調（Key of E♭）

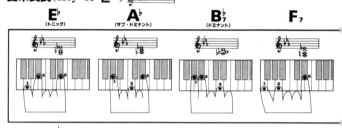

フラット(♭)が3個の短調
ハ短調（Key of Cm）

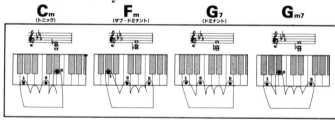

フラット(♭)が4個の長調
変イ長調（Key of A♭）

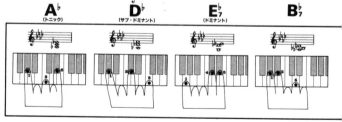

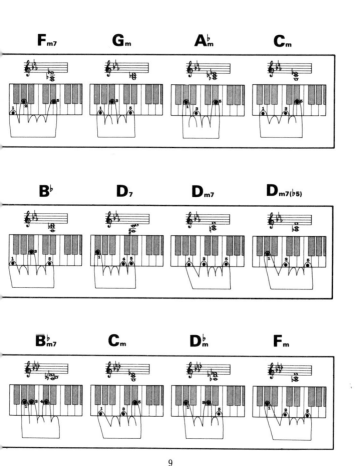

9

フラット(♭)が4個の短調
ヘ短調（Key of **F**m）

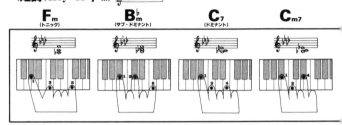

シャープ(♯)が1個の長調
ト長調（Key of **G**）

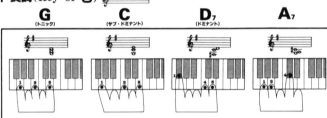

シャープ(♯)が1個の短調
ホ短調（Key of **E**m）

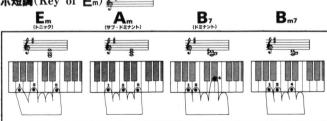

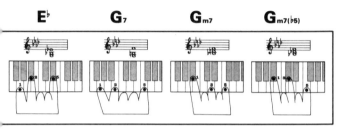

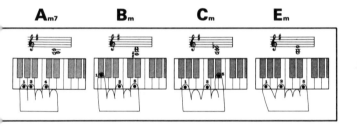

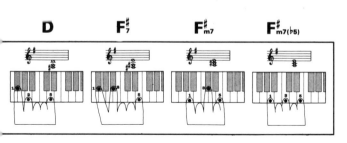

11

シャープ(♯)が2個の長調
二長調(Key of D)

D
(トニック)

G
(サブ・ドミナント)

A₇
(ドミナント)

E₇

シャープ(♯)が2個の短調
ロ短調(Key of Bm)

Bm
(トニック)

Em
(サブ・ドミナント)

F♯₇
(ドミナント)

F♯m₇

シャープ(♯)が3個の長調
イ長調(Key of A)

A
(トニック)

D
(サブ・ドミナント)

E₇
(ドミナント)

B₇

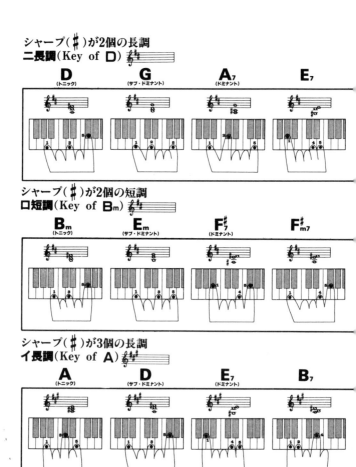

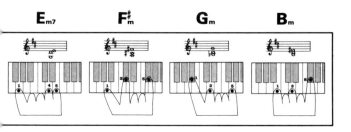

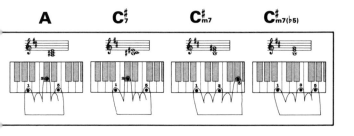

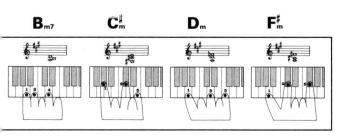

13

シャープ（♯）が3個の短調
嬰ヘ短調（Key of F♯m）

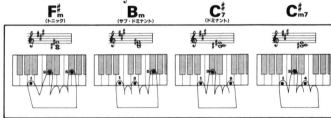

シャープ（♯）が4個の長調
ホ長調（Key of E）

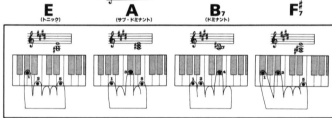

シャープ（♯）が4個の短調
嬰ハ短調（Key of C♯m）

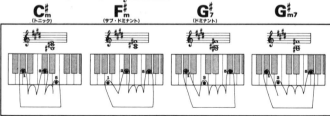

14

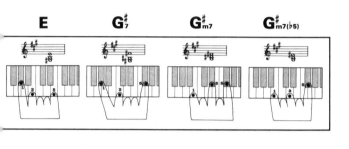

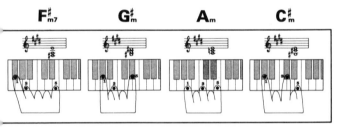

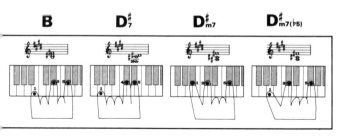

コードダイヤグラムの使い方

●キーボードでコード（和音）を押える時の指使いは親指から1、2、3、4、5と番号をつけます。本書では右手の指番号を示しさらに手形を入れわかりやすくしました。左手でコードを押えたいときは指番号はかわりますが押える音は右手と同じですから押えやすい指使いを考えて下さい。

●オルガンなどでベース音がある場合は押えるコードのベース音（普通は根音、ベース記号のある場合はその音）を省略して押えると左手はよりやさしくなるでしょう。

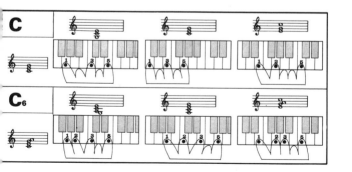

C

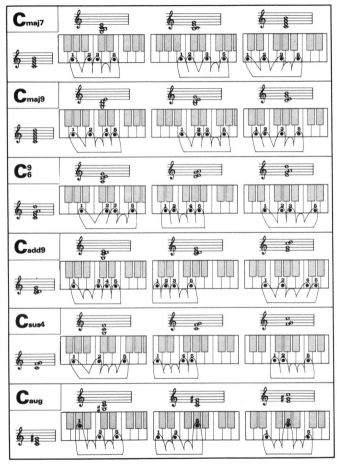

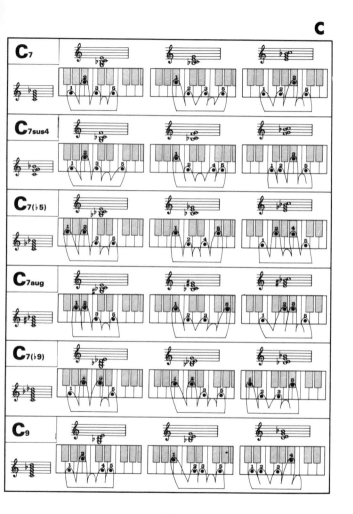

C

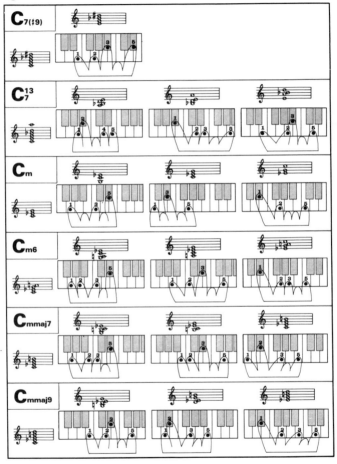

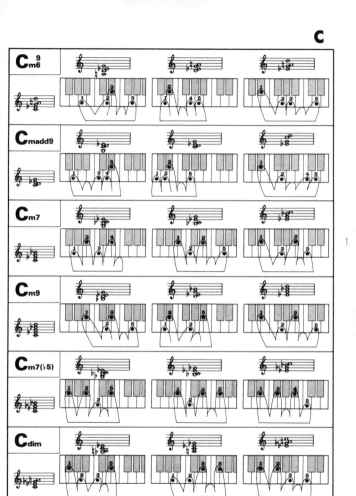

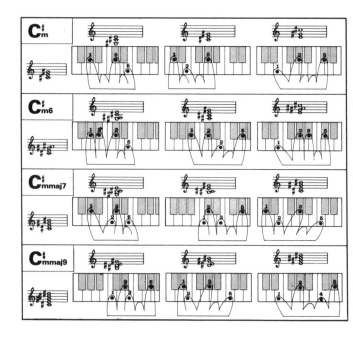

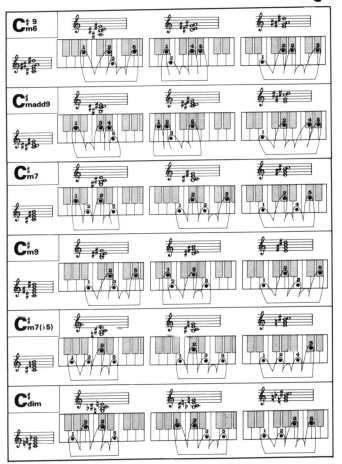

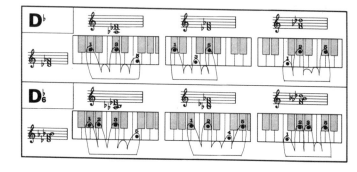

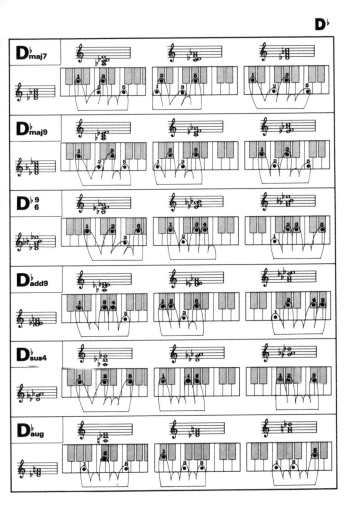

D♭

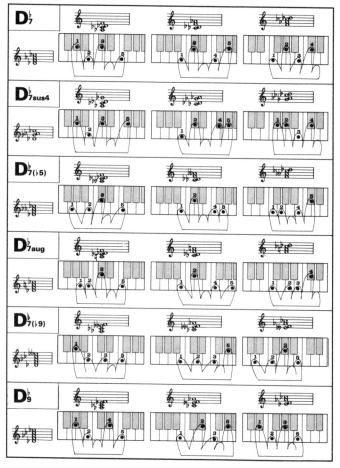

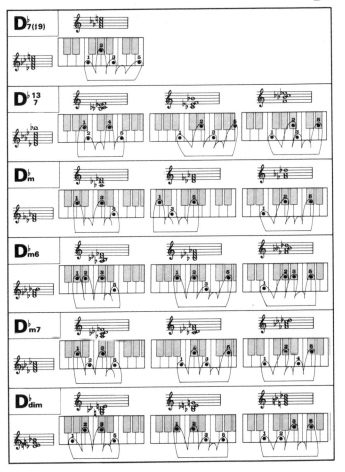

D系

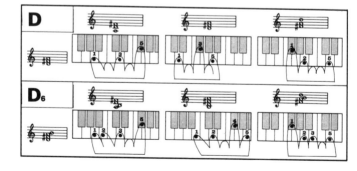

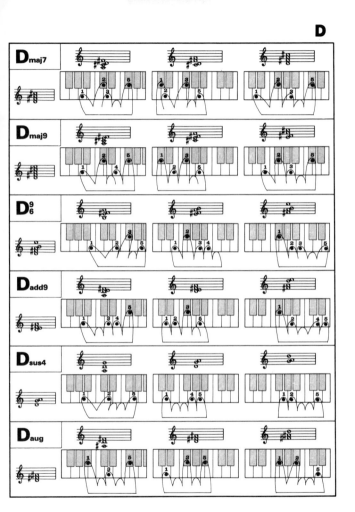

D

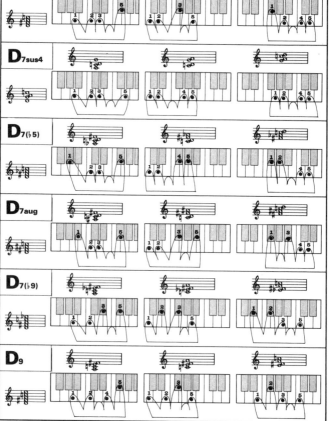

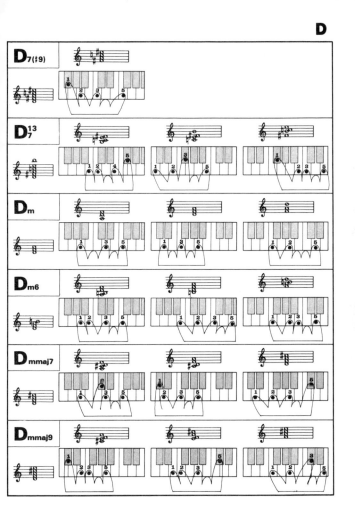

D

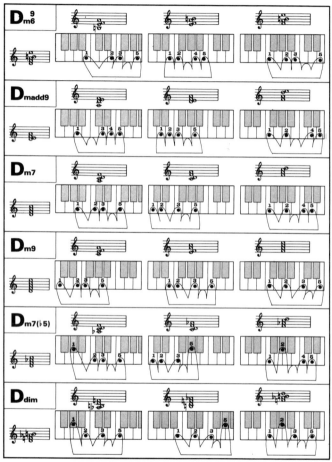

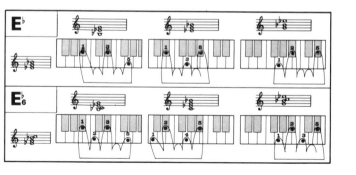

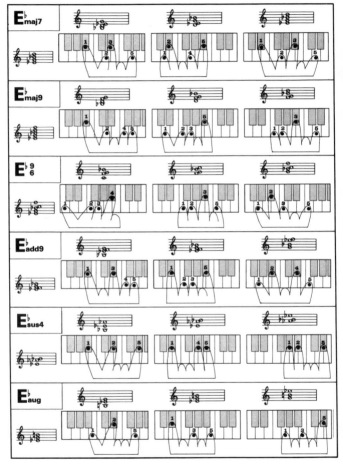

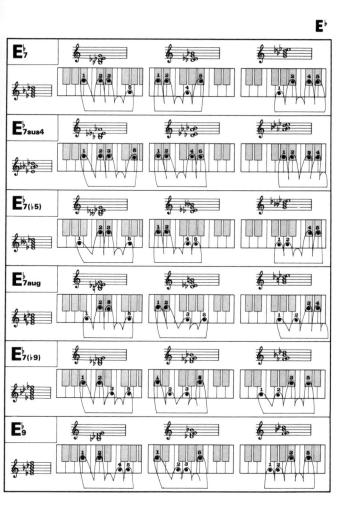

E♭

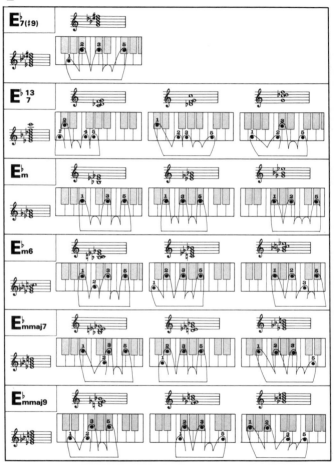

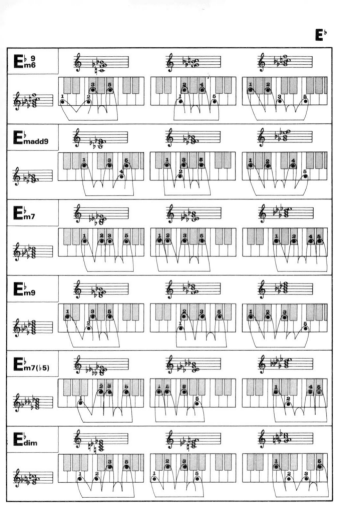

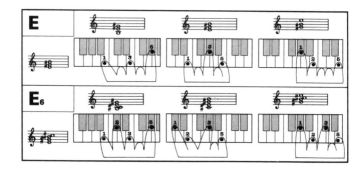

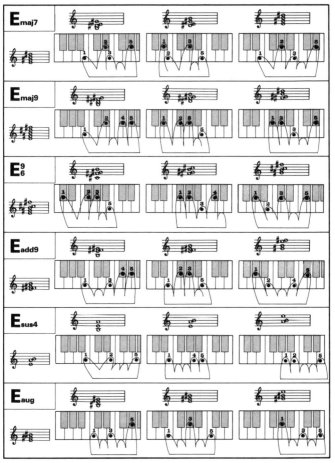

E

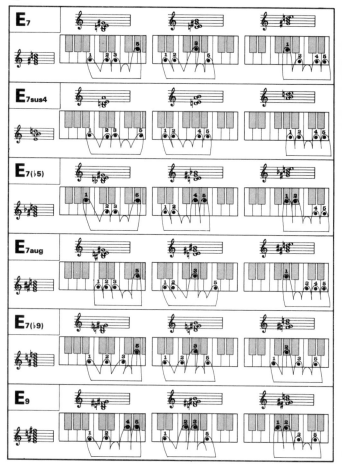

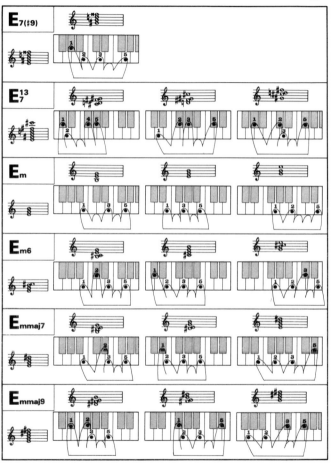

E

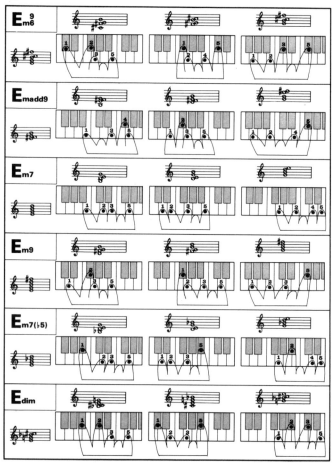

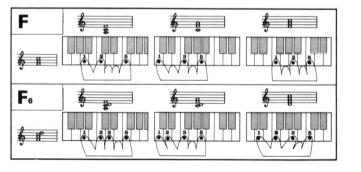

F

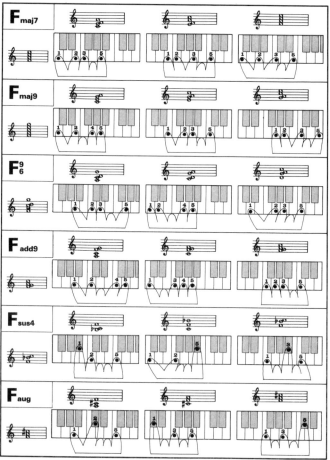

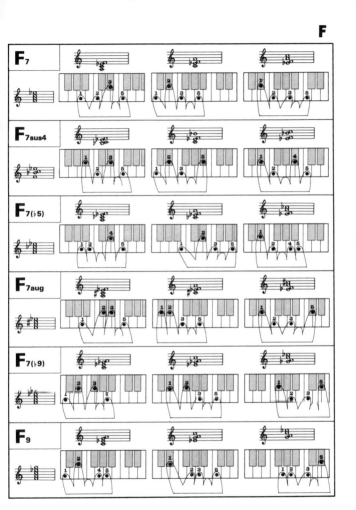

F

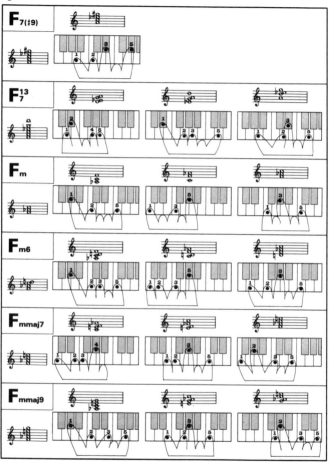

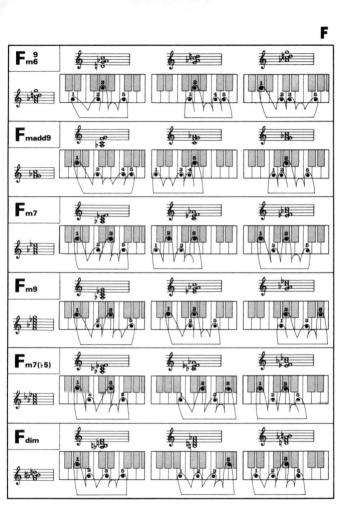

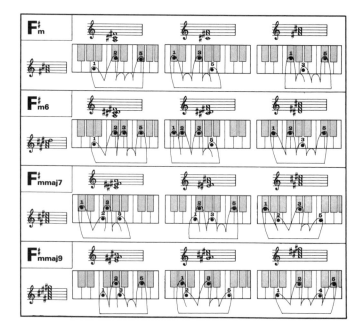

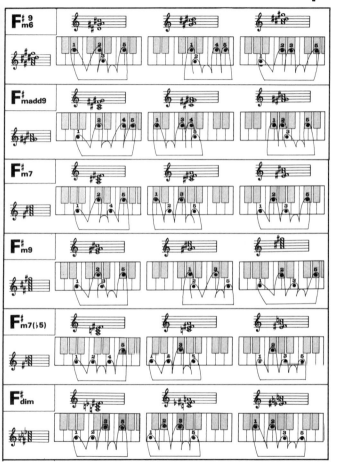

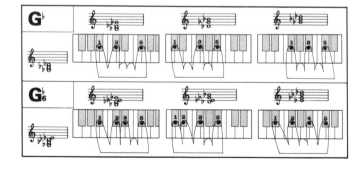

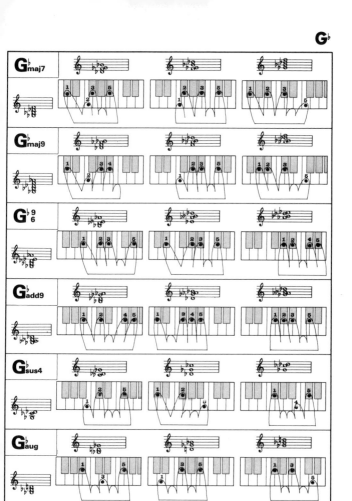

G♭

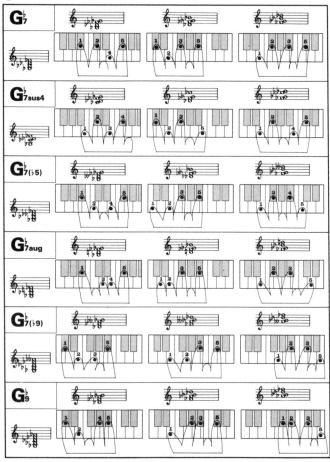

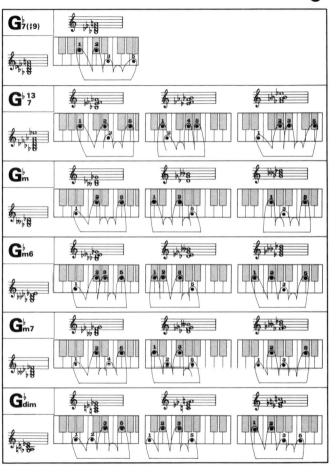

G系

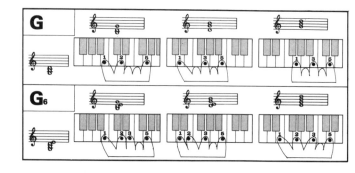

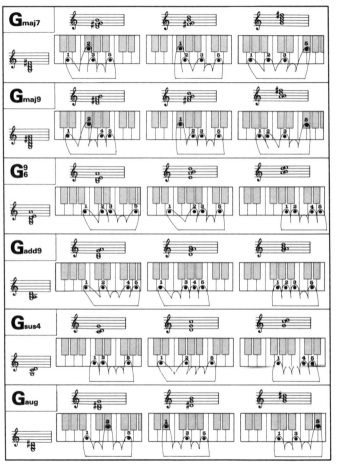

G

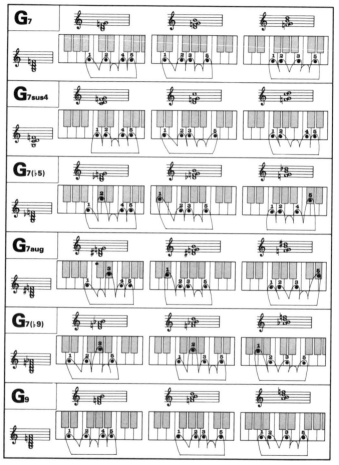

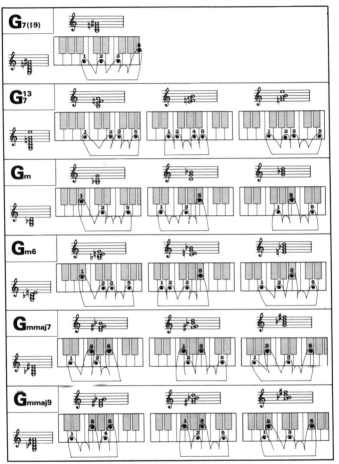

G

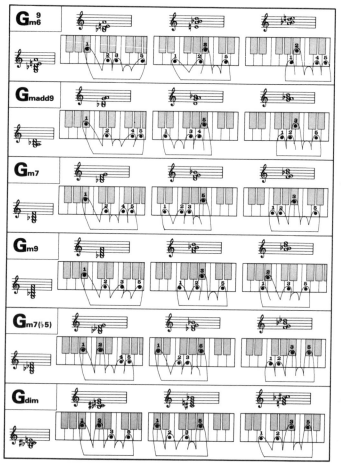

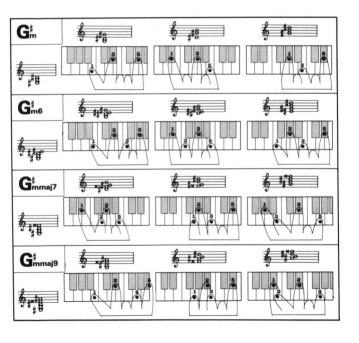

59

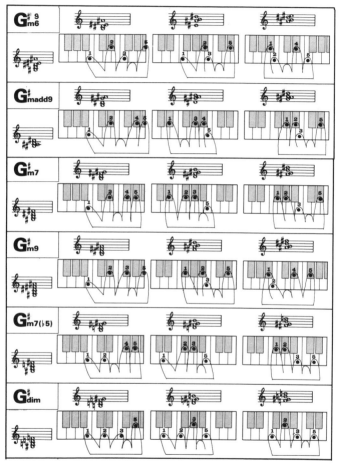

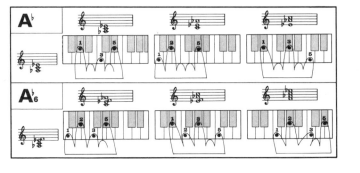

A♭

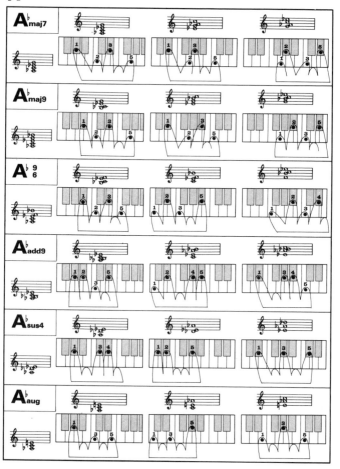

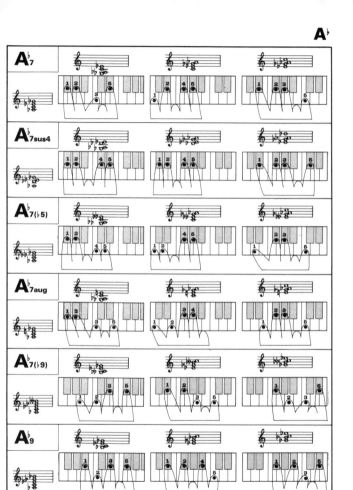

A♭

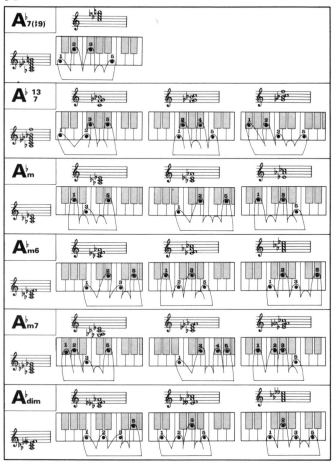

A♭7(♯9)

A♭ 13/7

A♭m

A♭m6

A♭m7

A♭dim

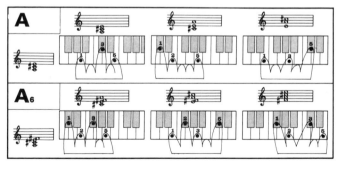

A

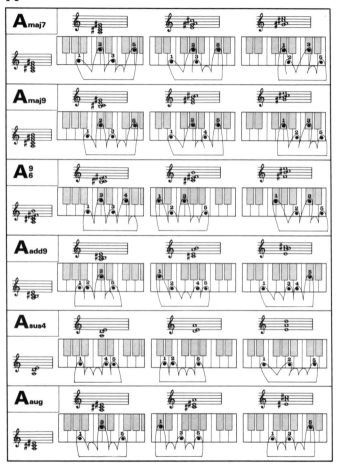

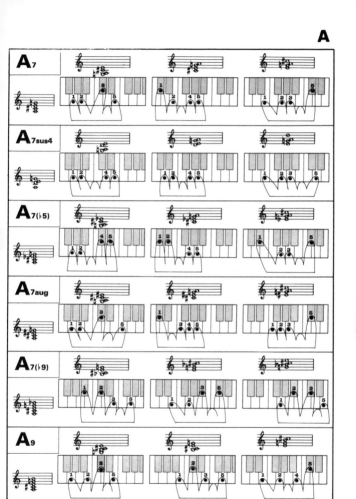

A

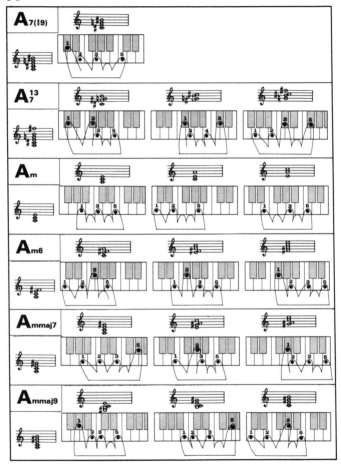

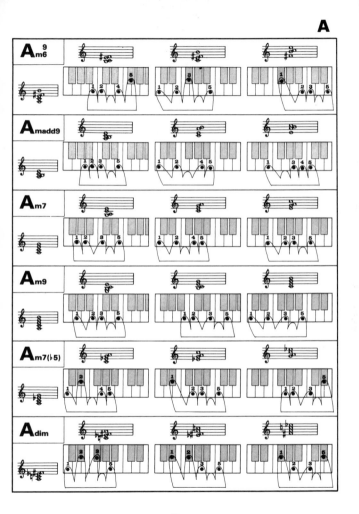

B♭系

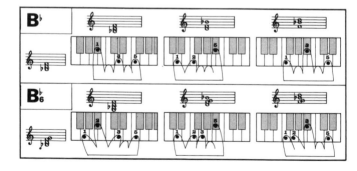

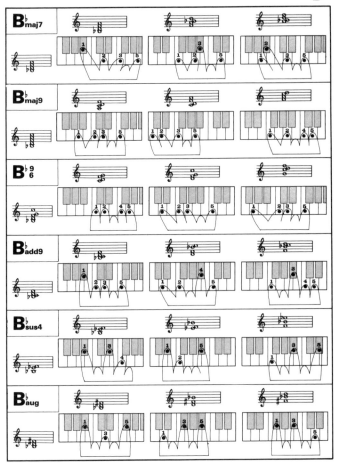

71

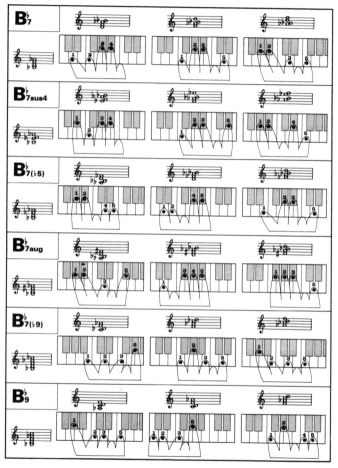

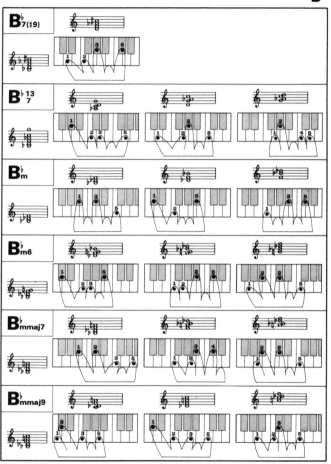

B♭

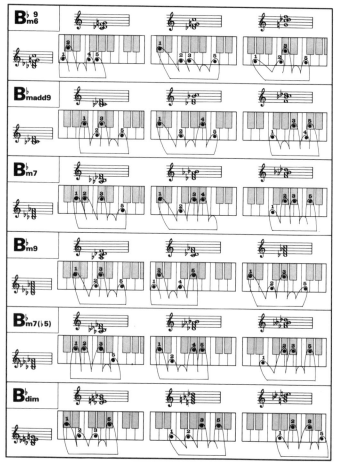

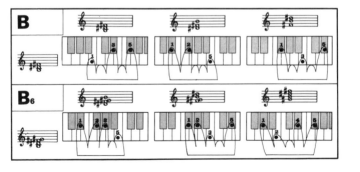

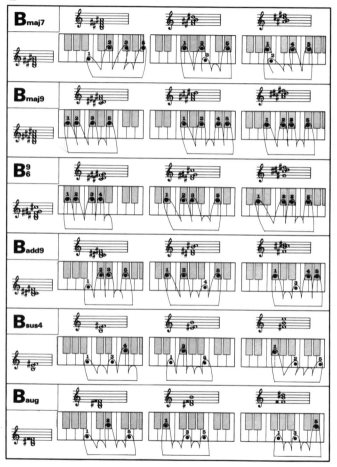

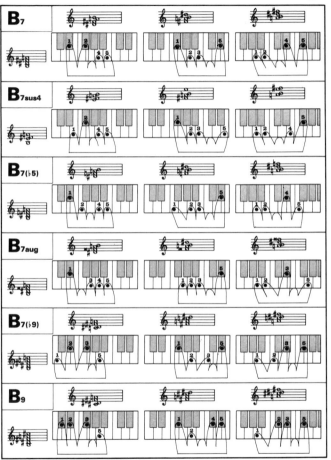

B

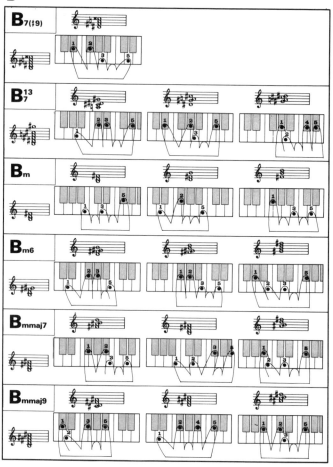

$B_{7(\sharp9)}$

B_7^{13}

B_m

B_{m6}

B_{mmaj7}

B_{mmaj9}

78